ChOL l i

# La chèvre de monsieur Seguin

D'après Alphonse Daudet
Illustrations originales de
Elizabeth Sirot

Monsieur Seguin n'avait jamais eu de chance avec ses chèvres. Il les perdait toutes de la même façon ; un beau matin, elles cassaient leur corde, s'en allaient dans la montagne, et là-haut le loup les mangeait. Ni les caresses de leur maître, ni la peur du loup, rien ne les retenait. C'était, paraît-il, des chèvres indépendantes, voulant à tout prix le grand air et la liberté.

Le brave monsieur Seguin, qui ne comprenait rien au caractère de ses bêtes, était consterné. Il disait :

— C'est fini ; les chèvres s'ennuient chez moi ; je n'en garderai pas une.

Cependant, il ne se découragea pas, et, après avoir perdu six chèvres de la même manière, il en acheta une septième ; seulement, cette fois, il eut soin de la prendre toute jeune, pour qu'elle s'habituât mieux à demeurer chez lui.

Ah ! Qu'elle était jolie la petite chèvre de monsieur Seguin ! Qu'elle était jolie avec ses yeux doux, sa barbiche de sous-officier, ses sabots noirs et luisants, ses cornes zébrées et ses longs poils blancs qui lui faisaient une houppelande ! Et puis, docile, caressante, se laissant traire sans bouger, sans mettre son pied dans l'écuelle. Un amour de petite chèvre…

Monsieur Seguin avait derrière sa maison un clos entouré d'aubépines. C'est là qu'il mit la nouvelle pensionnaire. Il l'attacha à un pieu, au plus bel endroit du pré, en ayant soin de lui laisser beaucoup de corde, et de temps en temps il venait voir si elle était bien. La chèvre se trouvait très heureuse et broutait l'herbe de si bon cœur que monsieur Seguin était ravi.

— Enfin, pensait le pauvre homme, en voilà une qui ne s'ennuiera pas chez moi !

Monsieur Seguin se trompait, sa chèvre s'ennuya.

Un jour, elle se dit en regardant la montagne :

— Comme on doit être bien là-haut ! Quel plaisir de gambader dans la bruyère, sans cette maudite longe qui vous écorche le cou !…

C'est bon pour l'âne ou pour le bœuf de brouter dans un clos !… Les chèvres, il leur faut du large.

A partir de ce moment, l'herbe du clos lui parut fade. L'ennui lui vint. Elle maigrit, son lait se fit rare.

C'était pitié de la voir tirer tout le jour sur sa longe, la tête tournée du côté de la montagne en faisant « Mê !... » tristement.

Monsieur Seguin s'apercevait bien que sa chèvre avait quelque chose, mais il ne savait pas ce que c'était…

Un matin, comme il achevait de la traire, la chèvre se retourna et lui dit dans son patois :

— Écoutez monsieur Seguin, je me languis chez vous, laissez-moi aller dans la montagne.

— Ah ! Mon Dieu !… Elle aussi ! cria monsieur Seguin stupéfait.

Et du coup, il laissa tomber son écuelle ; puis, s'asseyant dans l'herbe à côté de sa chèvre :

— Comment, Blanquette, tu veux me quitter !

Et Blanquette répondit :

— Oui, monsieur Seguin.

— Est-ce que l'herbe te manque ici ?

— Oh ! Non ! Monsieur Seguin.

— Tu es peut-être attachée de trop court, veux-tu que j'allonge la corde ?

— Ce n'est pas la peine, monsieur Seguin.

— Alors, qu'est-ce qu'il te faut ? Qu'est-ce que tu veux ?

— Je veux aller dans la montagne, monsieur Seguin.

— Mais, malheureuse, tu ne sais pas qu'il y a le loup dans la montagne... Que feras-tu quand il viendra ?

— Je lui donnerai des coups de cornes, monsieur Seguin.

— Le loup se moque bien de tes cornes. Il m'a mangé des biques autrement encornées que toi... Tu sais bien, la pauvre vieille Renaude qui était ici l'an dernier ? Une maîtresse chèvre, forte et méchante comme un bouc. Elle s'est battue avec le loup toute la nuit... puis, le matin, le loup l'a mangée.

— Peuchère ! Pauvre Renaude !…

Ça ne fait rien, monsieur Seguin, laissez-moi aller dans la montagne.

— Bonté divine !… dit monsieur Seguin ; mais qu'est-ce qu'on leur fait donc à mes chèvres ? Encore une que le loup va me manger…

Eh bien, non… je te sauverai malgré toi, coquine !

Et de peur que tu ne rompes ta corde, je vais t'enfermer dans l'étable, et tu y resteras toujours.

Là-dessus, monsieur Seguin emporta la chèvre dans une étable toute noire, dont il ferma la porte à double tour. Malheureusement, il avait oublié la fenêtre et, à peine eut-il le dos tourné, que la petite s'en alla…

Quand la chèvre blanche arriva dans la montagne, ce fut un ravissement général. Jamais les vieux sapins n'avaient rien vu d'aussi joli. On la reçut comme une petite reine. Les châtaigniers se baissaient jusqu'à terre pour la caresser du bout de leurs branches. Les genêts d'or s'ouvraient sur son passage, et sentaient bon tant qu'ils pouvaient... Toute la montagne lui fit fête.

Plus de corde, plus de pieu… Rien qui l'empêchât de gambader, de brouter à sa guise… C'est là qu'il y en avait de l'herbe ! Jusque par-dessus les cornes. Et quelle herbe ! Savoureuse, fine, dentelée, faite de mille plantes… C'était bien autre chose que le gazon du clos. Et les fleurs donc !… De grandes campanules bleues, des digitales de pourpre à longs calices, toute une forêt de fleurs sauvages débordant de sucs capiteux !…

La chèvre blanche, à moitié soûle, se vautrait là-dedans les jambes en l'air et roulait le long des talus, pêle-mêle avec les feuilles tombées et les châtaignes… Puis, tout à coup, elle se redressait d'un bond sur ses pattes. Hop ! La voilà partie, la tête en avant, à travers les maquis et les buissières, tantôt sur un pic, tantôt au fond d'un ravin, là-haut, en bas, partout… On aurait dit qu'il y avait dix chèvres de monsieur Seguin dans la montagne.

C'est qu'elle n'avait peur de rien, la Blanquette. Elle franchissait d'un saut de grands torrents qui l'éclaboussaient au passage de poussière humide et d'écume. Alors, toute ruisselante, elle allait s'étendre sur quelque roche plate et se faisait sécher par le soleil... Une fois, s'avançant au bord d'un plateau, elle aperçut en bas, tout en bas dans la plaine, la maison de monsieur Seguin avec le clos derrière. Cela la fit rire aux larmes.

— Que c'est petit ! dit-elle. Comment ai-je pu tenir là-dedans ?

Pauvrette ! De se voir si haut perchée, elle se croyait au moins aussi grande que le monde...

En somme, ce fut une bonne journée pour la chèvre de monsieur Seguin. Vers le milieu du jour, en courant de droite et de gauche, elle tomba au milieu d'une troupe de chamois. Notre petite coureuse en robe blanche fit sensation. Tous ces messieurs furent très galants… Il paraît même qu'un jeune chamois à pelage noir eut la bonne fortune de plaire à Blanquette. Les deux amoureux s'égarèrent parmi le bois une heure ou deux, et si vous voulez savoir ce qu'ils dirent, allez le demander aux sources bavardes qui courent invisibles dans la mousse. Tout à coup le vent fraîchit. La montagne devint violette ; c'était le soir.

— Déjà ! dit la petite chèvre.

Et elle s'arrêta fort étonnée.

En bas, les champs étaient noyés de brume. Le clos de monsieur Seguin disparaissait dans le brouillard, et de la maisonnette on ne voyait plus que le toit avec un peu de fumée. Elle écouta les clochettes d'un troupeau qu'on ramenait, et se sentit l'âme toute triste…

Un gerfaut qui rentrait, la frôla de ses ailes en passant. Elle tressaillit… puis ce fut un hurlement dans la montagne : « Hou ! Hou ! »

Elle pensa au loup ; de tout le jour la folle n'y avait pas pensé… Au même moment une trompe sonna bien loin dans la vallée. C'était ce bon monsieur Seguin qui tentait un dernier effort.

— Hou ! Hou ! faisait le loup.

— Reviens ! Reviens ! criait la trompe.

Blanquette eut envie de revenir ; mais en se rappelant le pieu, la corde, la haie du clos, elle pensa que maintenant elle ne pourrait plus se faire à cette vie, et qu'il valait mieux rester.

La trompe ne sonnait plus… La chèvre entendit derrière elle un bruit de feuilles. Elle se retourna et vit dans l'ombre deux oreilles courtes, toutes droites, avec deux yeux qui reluisaient…

C'était le loup. Énorme, immobile, assis sur son train de derrière, il était là regardant la petite chèvre blanche et la dégustant par avance. Comme il savait bien qu'il la mangerait, le loup ne se pressait pas ; seulement, quand elle se retourna, il se mit à rire méchamment.

— Ha ! Ha ! La petite chèvre de monsieur Seguin.

Et il passa sa grosse langue rouge sur ses babines d'amadou.

Blanquette se sentit perdue… Un moment, en se rappelant l'histoire de la vieille Renaude qui s'était battue toute la nuit pour être mangée le matin, elle se dit qu'il vaudrait peut-être mieux se laisser manger tout de suite ; puis, s'étant ravisée, elle tomba en garde, la tête basse et la corne en avant, comme une brave chèvre de monsieur Seguin qu'elle était… Non pas qu'elle eut l'espoir de tuer le loup – les chèvres ne tuent pas le loup – mais seulement pour voir si elle pourrait tenir aussi longtemps que la Renaude…

Alors le monstre s'avança, et les petites cornes entrèrent en danse. Ah ! La brave chevrette, comme elle y allait de bon cœur ! Plus de dix fois elle força le loup à reculer pour reprendre haleine. Pendant ces trêves d'une minute, la gourmande cueillait en hâte encore un brin de sa chère herbe ; puis elle retournait au combat, la bouche pleine… Cela dura toute la nuit.

De temps en temps, la chèvre de monsieur Seguin regardait les étoiles danser dans le ciel clair, et elle se disait :

— Oh ! Pourvu que je tienne jusqu'à l'aube…

L'une après l'autre, les étoiles s'éteignirent. Blanquette redoubla de coups de cornes, le loup de coups de dents… Une lueur pâle parut dans l'horizon… Le chant du coq enroué monta d'une métairie.

— Enfin ! dit la pauvre bête qui n'attendait plus que le jour pour mourir ; et elle s'allongea par terre dans sa belle fourrure blanche toute tachée de sang…

Alors le loup se jeta sur la petite chèvre et la mangea.

# La Belle et la Bête

D'après Jeanne-Marie Leprince de Beaumont
Illustrations originales de
Volker Theinhardt

Il était une fois un riche marchand qui avait trois filles. Elles étaient toutes très belles, mais c'est surtout la plus jeune qu'on admirait parce qu'elle avait, en plus de sa beauté, un charme et une qualité de cœur exceptionnels. Depuis qu'elle était petite, on l'appelait « Belle enfant », et le prénom de « Belle » lui resta.

Ses sœurs étaient orgueilleuses ; elles ne voulaient fréquenter que les personnes les plus riches et déclaraient qu'elles n'épouseraient qu'un duc ou un comte. Elles allaient tous les soirs au bal et se moquaient de leur jeune sœur qui préférait, plutôt que de les accompagner, lire ou jouer du clavecin.

Un jour, le marchand perdit brutalement sa fortune. Il expliqua tristement à ses filles qu'il leur fallait partir à la campagne, car seul le métier de paysan leur permettrait de vivre.

La Belle s'habituait à sa nouvelle vie ; elle se levait très tôt et travaillait beaucoup à la ferme. Elle n'avait pas perdu sa bonne humeur ni son goût pour les livres, le clavecin et le chant.

Quant à ses sœurs, elles se levaient tard, ne faisaient rien, sinon se lamenter à longueur de journée, en regrettant le luxe du passé. Elles s'ennuyaient à mourir et passaient leur mauvaise humeur sur leur cadette.

Plus tard, le père dut partir pour affaire. Sur le chemin du retour,
à la nuit tombée, il se perdit dans la forêt ; il vit une lumière au
loin, il s'en approcha : c'était un château tout illuminé.

Son cheval alla directement dans l'écurie où du foin l'attendait.
Le marchand entra dans le château ; il ne vit personne ; une table
était somptueusement servie, mais un seul couvert était mis.
Il appela plusieurs fois, attendit plus d'une heure, mais comme
personne ne venait et qu'il mourait de faim, il dîna.

Il traversa des salles merveilleusement meublées, seuls ses propres pas résonnaient dans le mystérieux silence de ce palais immense.

Il finit par entrer dans une chambre ; comme il était minuit passé et qu'il se sentait épuisé, il s'allongea sur un lit et s'endormit.

Le lendemain matin, il retourna dans la salle à manger, un petit déjeuner était servi. Il le prit, pensant que toutes ces étranges bontés étaient l'œuvre d'une fée. En sortant du château, il passa devant un superbe buisson de roses pâles, et se souvint que Belle les adorait. Il en cueillit toute une branche mais aussitôt un grand bruit, derrière lui, le fit sursauter.

Le marchand vit s'approcher une bête horrible qui lui dit :

— Je vous ai bien reçu il me semble, et pour me remercier, vous me volez mes roses pâles, mes préférées. Quelle faute ! Il vous faut mourir pour la réparer !

Le pauvre homme se jeta à ses genoux :

— Monseigneur, je ne pensais pas vous offenser, ces roses étaient pour une de mes filles qui les aime tant.

Le monstre s'approcha. Sa laideur fit frissonner le marchand.

— Appelez-moi « la Bête », et non « Monseigneur » ; je n'aime pas les flatteries, mais j'aime que l'on dise ce que l'on pense. Puisque vous avez des filles, poursuivit la Bête, je veux bien vous laisser partir, mais à une condition : que vous me rameniez l'une d'elles pour mourir à votre place.

De retour chez lui, le père raconta à ses filles ce qui était arrivé :

— Si, en sortant, je n'avais pas cueilli ces roses pâles, peut-être le  monstre ne se serait-il jamais montré, dit-il désespéré.

Les deux sœurs insultèrent la Belle, l'accusant d'être la seule responsable de ce malheur. Mais la petite dit simplement :

— Puisque le monstre accepte une de ses filles, c'est moi qui irai et mourrai à la place de notre cher père.

Le père, ému par sa bonté, refusa bien sûr. La Belle le supplia, affirmant qu'elle préférait être dévorée par la Bête plutôt que de le perdre. Le père eut beau dire, la Belle voulut partir ; quand il dut l'accompagner jusqu'au palais du monstre, il crut mourir de chagrin.

La Belle et son père entrèrent dans le château illuminé. Un repas somptueux était servi dans la salle à manger et, cette fois, deux couverts étaient mis.

Quand la Bête apparut, le marchand sursauta, la Belle frémit.

— Vous êtes bonne d'être venue, la Belle, dit le monstre. Quant à vous, Monsieur, partez demain matin et ne revenez jamais. Bonne nuit, la Belle.

— Bonne nuit, la Bête, répondit en tremblant la Belle.

Et le monstre disparut.

Au matin, le père, en étouffant un sanglot, dit adieu à son enfant.

Lorsqu'elle fut seule, la Belle se laissa d'abord aller à son désespoir. Puis elle erra dans le palais au hasard. Elle était certaine d'être dévorée par la Bête le soir même ; cependant, elle ne pouvait s'empêcher d'admirer la beauté des lieux. Elle fut étonnée de découvrir une porte sur laquelle il était écrit : « Appartement de la Belle ». Elle l'ouvrit et fut émerveillée de ce qu'elle y trouva.

— Si je n'avais qu'un jour à vivre, pensa-t-elle, on n'aurait pas prévu une chambre aussi luxueuse, avec tout ce que j'aime : un clavecin, des livres et des bouquets de roses pâles... mes préférées.

La Belle trouva une lettre où était écrit :

— Souhaitez, commandez, vous êtes ici la reine et la maîtresse.

— Hélas, dit la Belle en soupirant, j'aimerais tant voir mon père et savoir comment il se porte à présent.

Sa surprise fut immense quand, dans le miroir, elle vit sa maison, son père triste et accablé, et ses sœurs qui cachaient mal leur joie d'être enfin débarrassées d'elle. Puis tout disparut.

Le soir vint ; un dîner somptueux était servi pour la Belle.
Et dès qu'elle se mit à table, la Bête apparut.

— Puis-je vous regarder souper ? demanda le monstre.

— Vous êtes le maître, dit la Belle en frissonnant de peur.

— Non, c'est vous qui êtes la maîtresse, je ferai comme vous le
souhaiterez. Si je vous ennuie, dites-le moi, je sortirai.

Puis, après un temps, la Bête ajouta :

— Vous me trouvez laid, n'est-ce pas ?

— Oui, répondit la Belle, je ne sais mentir. Mais je vous crois bon.

La Belle avait presque moins peur ; mais, lorsque la Bête lui dit :

— La Belle, voulez-vous être ma femme ? elle faillit s'évanouir.

La Belle fut un moment sans répondre. Tout en craignant la colère du monstre, elle réussit à dire dans un souffle :

— Non, la Bête, non !

Le soupir que poussa alors la Bête retentit dans tout le palais.

— Bonne nuit, la Belle ! dit-il enfin avant de la quitter.

La Belle passa trois mois chez le monstre. Chaque soir, il lui offrait des roses pâles et parlait avec elle en la regardant souper. Et chaque soir, la Belle lui découvrait de nouvelles bontés.

La jeune fille s'habituait à la laideur de la Bête ; il n'y avait qu'une chose qui la chagrinait, c'est que toujours, avant de partir, la Bête lui demandait si elle voulait l'épouser.

Un soir, la Belle répondit :

— Je ne pourrai jamais, mais je serai toujours votre amie.

Un jour, la Belle vit dans le miroir que son père était tombé malade de tristesse. Alors, le soir, elle dit en pleurant à la Bête :

— Laissez-moi revoir mon pauvre père ou j'en mourrai. Je vous promets que je reviendrai au bout d'une semaine.

— Si vous ne revenez pas, c'est moi qui en mourrai, dit la Bête. Vous serez demain chez vous, puisque vous le souhaitez. Prenez cette bague : quand vous voudrez revenir, vous n'aurez qu'à, en vous couchant, la poser sur une table. Bonne nuit, la Belle.

Lorsqu'elle se réveilla, la Belle était dans la maison de son père. Ils s'embrassèrent longtemps et avec beaucoup d'émotion. Ses sœurs avaient fini par se faire épouser par des maris qui ne les rendaient pas heureuses. Lorsqu'elles vinrent lui rendre visite, elles durent se retenir de crier de jalousie quand la Belle leur raconta avec plein de détails toutes les bontés de la Bête. Elle leur dit aussi qu'elle lui avait promis de ne rester qu'une semaine.

Les méchantes sœurs allèrent comploter dans le jardin :

— Retenons-la ici plus longtemps, dit l'une.

— La Bête sera ivre de colère et la dévorera, dit l'autre.

Elles firent mine d'être si tristes le jour où la Belle voulut partir que la gentille cadette accepta de rester encore un peu.

Lors de la dixième nuit passée chez son père, la Belle fit un cauchemar affreux : elle était dans le parc du château et la Bête était couchée sur l'herbe, très faible et presque morte. La Belle s'éveilla en sanglots. Elle se reprocha de ne pas avoir tenu sa promesse et se rendit compte qu'elle ressentait une si profonde amitié pour ce monstre, qu'elle ne pourrait supporter davantage de le savoir malheureux.

Alors, elle posa sa bague sur la table et se rendormit.

Le lendemain, la Belle se réveilla au château. En attendant avec une folle impatience neuf heures, l'heure à laquelle la Bête avait l'habitude d'apparaître pour le dîner, elle s'habilla, se coiffa magnifiquement. Mais, ce soir-là, la Bête ne vint pas.

La Belle attendit un long moment, puis, affolée et désespérée, elle courut en appelant la Bête dans tout le palais. Elle se souvint soudain de son rêve et se précipita dans le parc.

La Belle découvrit derrière un buisson la Bête évanouie, à demi morte de chagrin. Elle la prit dans ses bras et lui dit en l'inondant de larmes et en l'embrassant encore et encore :

— Ne mourez pas, ma chère Bête, ne mourez pas. Je croyais n'avoir que de l'amitié pour vous, mais je sais maintenant que je ne pourrai vivre sans vous. Ne mourez pas, je vous aime et je veux vous épouser.

A peine la Belle eut-elle prononcé ces mots que le château se mit à briller de mille lumières et que la Bête disparut. A sa place, un prince au visage beau comme l'amour apparut.

— Mais où est la Bête ? demanda la Belle.

— C'était moi, dit le prince. Une méchante fée m'avait condamné à vivre sous cette apparence jusqu'à ce qu'une belle jeune fille accepte de m'épouser. Vous seule pouviez me sauver grâce à votre exceptionnelle bonté. Vous seule, ma bien-aimée, vous seule !

La Belle et le prince rentrèrent au château où une autre surprise attendait la jeune fille. Son père et ses sœurs étaient là ; mais il y avait aussi une fée, une fée qui, en souriant, lui dit :

— La Belle, venez recevoir la récompense de votre bonté : vous allez devenir une grande reine. Quant à vous, dit la fée en se tournant vers les deux méchantes sœurs, vous serez des statues à l'entrée du château et contemplerez le bonheur de la Belle jusqu'à ce que votre cœur devienne aussi bon que le sien. A peine eut-elle fini ces mots que les deux sœurs furent changées en statues, aussitôt .

La Belle et le prince se marièrent le jour même. Ils vécurent heureux dans leur royaume pendant de très, très longues années. Le jardin de leur vie fut couvert bien sûr de roses,  pâles et délicieusement parfumées.

Édité par :
Éditions Glénat
Services éditoriaux et commerciaux :
31 – 33, rue Ernest Renan
92130 Issy-les-Moulineaux

Conseiller artistique : Jean-Louis Coutu
Photo de couverture : Eric Robert
Maquette de couverture : les Quatre Lu

Imprimé en Italie par Eurografica
Dépôt légal : Février 2005
Achevé d'imprimer en Février 2005

ISBN : 2.7234.5151.8

Loi n° : 49-956 du 16 juillet 1949 sur les publications destinées à la jeunesse.